maravilhas
do
Brasil

wonders of Brazil

Todos os direitos desta edição foram cedidos à

Escrituras Editora e Distribuidora de Livros Ltda.
Rua Maestro Callia, 123
04012-100 – Vila Mariana – São Paulo – SP
Tel.: (11) 5082-4190 – escrituras@escrituras.com.br
http://www.escrituras.com.br

Dados Internacionais de Catalogação na Publicação (CIP)
(Câmara Brasileira do Livro, SP, Brasil)

Boieras, Gabriel
  Maravilhas do Brasil: festas populares = Wonders of Brazil:
folk festivals / Gabriel Boieras, Luciana Cattani, Marco
Antônio Sá; [tradução Douglas Victor Smith]. – São Paulo:
Escrituras Editora, 2006.

  ISBN: 85-7531-236-7

  Edição bilíngüe: português/inglês.

  1. Festas – Brasil 2. Fotografias I. Cattani, Luciana. II. Sá,
Marco Antônio. III. Título. IV. Título: Wonders of Brazil :
folk festivals.

06-7978   CDD-779.939426981

Índices para catálogo sistemático:

1. Brasil: festas populares: Fotografias
779.939426981

Impresso no Brasil
Printed in Brazil

EDITOR/EDITOR
Raimundo Gadelha

COORDENAÇÃO EDITORIAL/
EDITORIAL COORDINATOR
Camile Mendrot

CAPA E PROJETO GRÁFICO/
COVER & GRAPHIC DESIGN
Vaner Alaimo

DIGITALIZAÇÃO DAS IMAGENS/
DIGITAL IMAGING
Refinaria de Imagem

TRADUÇÃO/TRANSLATOR
Douglas V. Smith

REVISÃO/PROOFREADER
Denise Pasito Saú

IMPRESSÃO/PRINTER
Pancrom

Gabriel Boieras
Luciana Cattani
Marco Antônio Sá

maravilhas do Brasil
wonders of Brazil

Texto/text: Luciana Cattani

Festas Populares   Folk Festivals

escrituras

São Paulo, Brasil – 2006

Abertura/Foreword

A beleza natural do Brasil e a diversidade de seu povo são marcas de tradições que resultam em festas exuberantes, repletas de crenças, cores, formas e sons. Comemorações religiosas ou folclóricas de onde transbordam fé, esperança e intensa alegria de viver.

É o resultado da mistura de raças e costumes formados em mais de quinhentos anos de História.

Maravilhas do Brasil – Festas Populares retrata a riqueza da nossa cultura popular, muitas vezes poética, simbólica e espalhada por todo o território nacional.

Seja com a Festa do Divino, o Carimbó, o Boi-bumbá, a Folia de Reis, o Círio de Nazaré ou as Cavalhadas, essas manifestações são expressões do estado de espírito e do movimento do povo em sua forma mais autêntica. São as raízes culturais mais importantes desse mesmo povo. Um patrimônio a ser usufruído pelas gerações atuais e preservado para as gerações futuras.

Do Pará ao Rio Grande do Sul; de Pernambuco ao Amazonas, as maravilhosas fotografias de Gabriel Boieras, Luciana Cattani e Marco Antônio Sá mostram a alma e a força de um País que transforma suas diversidades culturais e geográficas em união e renovável motivo de festa.

Os editores

B razil's natural beauty and the diversity of its people are the marks of traditions that result in exuberant festivities, replete with beliefs, colors, shapes and sounds. Religious or folkloric commemorations that exude faith, hope and an intense enjoyment of life.

All this is the result of the blending of races and customs over more than five hundred years of history.

Wonders of Brazil – Folk Festivals portrays the wealth of our popular culture, which is often poetic, symbolic and spread throughout the entire nation.

Whether it is the Celebration of the Divine, the Carimbó, the Boi-bumbá, the Epiphany Revelry, the Círio de Nazaré, or the Cavalhadas (jousting events), these manifestations are expressions of the spirit and movement of the people in their most genuine form. They are the most important cultural roots of this same, but diverse, people. A heritage to be enjoyed by contemporary generations and preserved for future generations.

From North to South, East to West, the wonders photographed by Gabriel Boieras, Luciana Cattani, and Marco Antônio Sá display the soul and strength of a nation that transforms its cultural and geographic diversities into unity and an ever-renewable reason for celebration.

The editors

Introdução

"Sobre o rio, o silêncio, as estrelas, as lendas adormecidas. O barco deslizava pelo rio Amazonas. Os fogos de artifício riscavam o céu, a batucada ainda ressoava nos ouvidos. Mais adiante, na Ilha Tupinambarana, o cenário anunciava a noite de festa. O tacacá na cuia, o tabuleiro de acarajé... a percussão ecoou durante horas, a arena iluminava-se, fantasias, cores, tambores e ritmos de uma civilização mestiça e tropical.

Estava aberta a convivência com todas as raças e culturas.

Bem-vindas as festas folclóricas, tradução maior da alma de um povo!"

Naquela ilha, assim como em vários outros cantos do Brasil, alegria, religiosidade, sociabilidade, música, canto, poesia e orações são expressões de um modo de vida de homens e mulheres representados por tradições comemorativas que acontecem nas comunidades, envolvendo fiéis e festeiros de todo o Brasil e abrangendo todas as classes sociais, heranças do tempo colonial. A História do Brasil é rica em exemplos de crenças, superstições, rituais e devocionismo. Há necessidade de se expressar, e a forma como o fazem é que varia entre as diversas culturas, amalgamando suas influências e transformando-se, por si só, em uma referência.

Saber a procedência dessas manifestações é uma busca pelas origens desse país, o que nos permite entender a extensão da nossa cultura popular. A imensa riqueza e a diversidade cultural do Brasil encontram suas raízes na miscigenação de seus colonizadores europeus, indígenas nativos, negros trazidos como escravos e, mais tarde, imigrantes. As raízes do povo brasileiro formaram-se da mistura dessas crenças e culturas, sofrendo modificações e adaptando-se à realidade contemporânea. São celebradas durante todo o ano, muitas vezes de maneira simples, mas sempre com uma sofisticação em sua essência. As festas emolduram-se com mascarados, caretas, reis, rainhas, caboclos, porta-estandartes, sombrinhas, pastoras e mil outras fantasias e personagens que crescem com muita criatividade, sem perder suas origens.

A maioria das comemorações populares no Brasil segue o modelo europeu dos festejos trazidos pelo catolicismo, misturadas ao misticismo dos negros, às crenças milenares dos índios e aos costumes de cada região, como, por exemplo, os pescadores que cultuam São Pedro e levam oferendas à Iemanjá.

As manifestações folclóricas dividem-se em cultos e folguedos. Os cultos relacionam-se a divindades, santos, milagres, bênçãos, oferendas, louvores. Os folguedos são brincadeiras, sortes, jogos, danças, representações coreografadas. Todos se apresentam em ciclos – natalino, junino e carnavalesco – e também nas festas em homenagem ao Divino, ao Boi e aos Santos Padroeiros locais. Sejam estas manifestações de cunho religioso, como a Páscoa nas cidades históricas; por meio das procissões, que reúnem pregadores e fiéis; ou sacroprofanas, como as Congadas e festas juninas, formam um imenso repertório de celebrações e rituais representados por espetáculo teatral de rua, poesia, fala improvisada, máscaras, sátiras, personagens humanos e animais fantásticos.

Manter essas tradições mais antigas intocadas, apesar do processo de urbanização, só é possível graças à herança cultural recebida, aliada a uma força inconsciente de preservar uma identidade ligada a duas das principais características do povo brasileiro: fé e criatividade. As festas são o ponto de encontro entre a comunidade e sua crença maior.

O instante em que homens, mulheres e crianças deixam seus afazeres cotidianos para reviver seus personagens e contar sua história, engrandece sua alma, sua devoção e, assim, cria um diferencial e expõe a impotância das raízes brasileiras em suas criativas expressões.

O Brasil é um espaço de metamorfoses culturais, preservando, por meio das festas populares, memórias seculares de seus povos fundadores e ajudando a construir a História da Nação. Em cada uma dessas festas, o País torna singular a diversidade do encontro de tais culturas. Eis a síntese desse fenômeno nas imagens inquietas e dinâmicas que aqui apresentamos.

Introduction

"On the river, silence, stars, sleeping legends. The boat slipped smoothly along the Amazon River. The fireworks emblazoned the sky, the drumbeat throbbed in our ears. Farther along, on Tupinambarana Island, the scenario announced a night of festivities. Tacacá in a gourd, a tray of acarajé... the percussion echoed for hours, the arena was lit up, costumes, colors, drums, and rhythms of a mestizo and tropical civilization.

It was an opening for living with all races and cultures.

Welcome to the folk festivities: the biggest expression of the soul of a people!"

On that island, as in several other corners of Brazil, joy, religion, social events, music, singing, poetry, and prayer are expressions of a way of life for men and women represented by commemorative traditions that take place in the communities, involving religion and revelry from all over Brazil and including all social, inherited from colonial times. The history of Brazil has a wealth of examples of beliefs, superstitions, rituals, and devotion. All communities have a need to express themselves, and the way they do it varies from culture to culture, melding their influence and becoming a point of reference.

To know the origins of these manifestations requires digging among the roots of this nation, allowing us to understand the outreach of our folk culture. The immense wealth and the cultural diversity of Brazil find their roots in the miscegenation of its European colonizers, indigenous peoples, negro slaves and, later, immigrants. The roots of the Brazilian people were formed through a blend of these beliefs and cultures, which were modified and adapted to contemporary realities. They are celebrated all year long, most often in simple forms, but always with a sophisticated essence. The festivities are framed by masks, kings, queens, half-breeds, standard-bearers, parasols, indoor plays and a thousand other fantasies and characters that grow with high creativity, without losing track of their origins.

Most of the folk commemorations in Brazil follow the European model of the festivities brought over with Catholicism, mixed with the mysticism of the African slaves, the centuries-old beliefs of the indigenous peoples, and the customs of each region, such as the fishermen who worship St. Peter and take offerings to Iemanjá (the goddess of the sea).

The folk manifestations are divided into worship and revelry events. The worship has to do with gods, saints, miracles, blessings, offerings, and praise. The revelry is related to games, luck, sports, dances, and choreography. All of them come in cycles: Christmas, June and Carnaval, plus the festivities in honor of the Divine, the Ox, and local patron saints. Whether they have a religious emphasis, like Easter in the historical cities – with their processionals of preachers and the faithful, or sacred-profane events, like the Congadas and June festivities – they form an immense repertoire of celebrations and rituals presented theatrically or on the streets, through poetry, improvisation, masks, satires, human characters, and imaginary animals.

Keeping these old traditions intact, despite the urbanization process, is only possible thanks to the cultural heritage received, allied with an unconscious effort to maintain an identity connected with two of the main features of the Brazilian people: faith and creativity. The festivities are the meeting point of the community with its highest belief.

The moment when men, women and children stop being the people who live the daily routines of Brazil, to believe in their characters and tell their stories, thus exposes their soul, their devotion, distinguishing them from other peoples and showing the importance of Brazilian roots as one of their most creative expressions.

Brazil is a place for cultural metamorphoses which preserves, through its folk festivals, the memories of their founders and helps build the history of the Nation. In each one of these festivities the country makes the diversity of the encounter of these cultures something unique, and it is the synthesis of this phenomenon that we present in these restless and dynamic images.

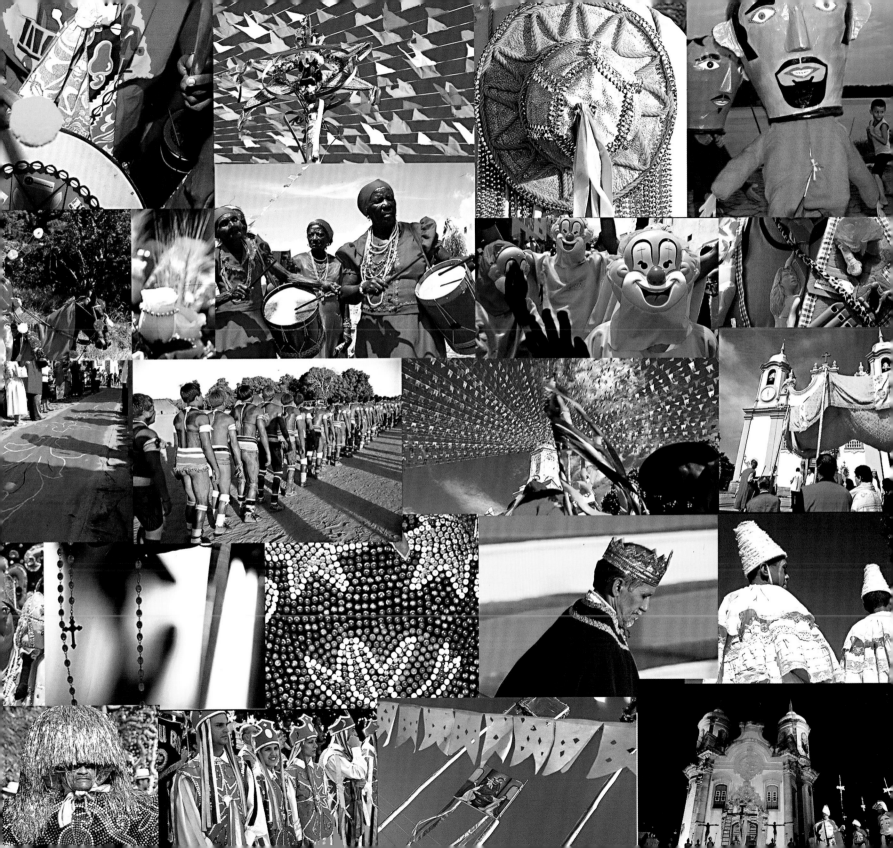

Carnaval – Recife, Pernambuco

O carnaval, popular no Brasil, é o espaço de identidade cultural em que todos mostram sua capacidade de criar. No Recife, é uma grande festa ao ar livre. As ruas transformam-se em um mar de gente. A alegria toma conta quando o Galo da Madrugada invade a avenida, arrastando dois milhões e meio de pessoas. "Ei, pessoal, vem, moçada, carnaval começa no galo da madrugada!"

Carnaval – Recife, Pernambuco

The folk Carnaval of Brazil is the space for cultural identity where we all show our capacity to create. In Recife, it is a great outdoor festival. The streets are flooded with a sea of people. Joy takes over when the Midnight Rooster hits the avenue, drawing along two and a half million people. "Hey, everybody, come on, gang, Carnaval begins with the rooster crowing at midnight!"

Carnaval – Olinda, Pernambuco

Os bonecos são heranças européias do século XV, que acompanhavam cortejos religiosos e hoje enfeitam a festa do carnaval de Olinda, Pernambuco.

Carnaval – *Olinda, Pernambuco*

The mannequins are a European heritage from the 15th century, that accompanied the religious processionals and now adorn the Carnaval festivities of Olinda, Pernambuco.

**Carnaval – Bezerros,
Pernambuco**

É tradição do carnaval de
Pernambuco os homens
vestirem-se com máscaras
e fantasias, umas
luxuosas, outras mais
simples, que são julgadas
em desfiles populares
pelas ruas.

**Carnaval – *Bezerros,
Pernambuco***

*It is the tradition of
Carnaval in the State
of Pernambuco that the men
wear masks and costumes,
some very luxurious, others
much simpler, that are
judged during the street
parades.*

Carnaval – Bezerros, Pernambuco

Inicialmente, os foliões saíam mascarados para "papar um angu" – comida típica do Nordeste, feita de milho –, e hoje saem às ruas divertindo-se e formando um grande bloco carnavalesco.

Carnaval – *Bezerros, Pernambuco*

At first, the masked revelers went out to "eat angu" – a typical northeastern food made from corn – and now they hit the streets for fun, forming a large Carnaval group.

Carnaval – Bezerros, Pernambuco

Foliões fantasiados de Papangus.

Carnaval – Bezerros, Pernambuco

Revelers dressed as Papangus (angu *eaters*).

Carnaval – Salvador, Bahia

As lutas passadas e contemporâneas do povo africano são celebradas no carnaval da Bahia pelo grupo de afoxé mais antigo, os *Filhos de Gandhy*, fundado por estivadores ligados ao candomblé.

Carnaval – *Salvador, Bahia*

Past and present struggles of the African people are celebrated during Carnaval in Bahia by the oldest afoxé group, the Sons of Gandhi, *founded by stevedores connected with candomblé.*

Carnaval – Salvador, Bahia

Os grupos *Filhos de Gandhy* e *Ilê Aiyê* constituem o legado tradicional da cultura africana no Brasil.

Carnaval – *Salvador, Bahia*

The Sons of Gandhi and Ilê Aiyê groups constitute the traditional legacy of the African culture in Brazil.

Carnaval – Nazaré da Mata, Pernambuco

Um dos ícones do carnaval é o maracatu de baque virado ou maracatu nação. Surgiu há mais de 300 anos, a partir da coroação dos reis negros nas igrejas dedicadas a Nossa Senhora do Rosário, e os participantes aproveitam a cerimônia para reverenciar entidades divinas. Representando um cortejo real, com rei, rainha, porta-estandarte, cordão de baianas, dama-do-paço e calunga.

Carnaval – Nazaré da Mata, Pernambuco

One of the icons of Carnaval is the maracatu de baque virado *or* maracatu nação. *It appeared over 300 years ago, based on the coronation of negro kings in the churches dedicated to Our Lady of the Rosary, and the participants take advantage of the ceremony to worship divinities. Representing a royal retinue, with king, queen, standard-bearer, cordon of Bahian women, court matron, and calunga.*

Carnaval – Cidade Tabajara, Pernambuco

Estandarte – abre o cortejo carregando o nome do grupo.

Carnaval – *Cidade Tabajara, Pernambuco*

Tabajara, Pernambuco Standard – leads the retinue with the name of the group.

**Carnaval – Cidade
*Tabajara, Pernambuco***

Dama-do-paço –
personagem tradicional do
maracatu, ela é quem
carrega a calunga, boneca
que simboliza a África, terra
natal dos antigos negros
que criaram a dança.

**Carnaval – *Cidade
Tabajara, Pernambuco***

*Court matron – traditional
maracatu character who
carries the calunga – a doll
that symbolizes Africa, the
homeland of the old negroes
who created the dance.*

Carnaval – Nazaré da Mata, Pernambuco

O maracatu rural ou de baque solto é resultado da fusão de manifestações populares, cambindas, bumba-meu-boi e cavalo-marinho, associadas também à coroação dos reis negros.

Carnaval – *Nazaré da Mata, Pernambuco*

The rural maracatu or the maracatu de baque solto is a blend of the cambindas, bumba-meu-boi and seahorse folk manifestations, also associated with the coronation of negro kings.

Carnaval – Nazaré da Mata, Pernambuco

Os caboclos de lança são personagens marcantes do maracatu rural. O cravo que o caboclo leva à boca é batizado com rezas e defumadores.

Carnaval – *Nazaré da Mata*, Pernambuco

The half-breeds with lances are outstanding figures of the rural maracatu. The carnation carried in the half-breed's mouth is baptized with prayers and incense burners.

Carnaval – Goiana, Pernambuco

Durante os dias de carnaval, trabalhadores rurais apresentam-se em trajes coloridos, bordados com miçangas, cabeleiras de celofane (funis), golas com lantejoulas, defendendo a tradição do maracatu rural com suas lanças e fitas coloridas.

Carnaval – *Goiana*, Pernambuco

During Carnaval, rural workers wear colorful clothing, embroidered with glass beads, cellophane wigs (funis), collars with sequins, in the long tradition of the rural maracatu with its lances and colored ribbons.

26

Carnaval – Nazaré da Mata, Pernambuco

O maracatu rural é típico da Zona da Mata, Norte do Recife. Os caboclos de lança representam guerreiros de Ogum ou filhos de São Jorge.

Carnaval – *Nazaré da Mata, Pernambuco*

The rural maracatu is typical of the Forest Area, north of Recife. The lance-bearing half-breeds represent Ogum warriors or sons of St. George.

Carnaval – Goiana, Pernambuco

Caboclinhos – encenação que remete aos primórdios da colonização portuguesa, com coreografias que se aliam às apresentações do maracatu rural.

Carnaval – *Goiana, Pernambuco*

Small half-breeds – a play that goes back to the early days of the Portuguese colonization, with choreographies that relate to the presentations of the rural maracatu.

Semana Santa – Ouro Preto, Minas Gerais

As comemorações que ocorrem na semana após a quaresma e antes da Páscoa celebram o mistério da morte e a ressurreição de Jesus Cristo.

Holy Week – Ouro Preto, Minas Gerais

The commemorations held during the week after Lent and before Easter celebrate the mystery of the death and resurrection of Jesus Christ.

Semana Santa – Ouro Preto, Minas Gerais

Na Sexta-Feira da Paixão, personagens bíblicos e anjos encenam a crucificação de Cristo durante as comemorações da Semana Santa.

Holy Week – Ouro Preto, Minas Gerais

On Good Friday, during the Holy Week commemorations, Biblical characters and angels act out the crucifixion of Christ.

Semana Santa – Ouro Preto, Minas Gerais

A mais tradicional procissão da Semana Santa acontece no Domingo de Páscoa, simbolizando a ressurreição de Cristo por meio de crianças vestidas de anjo.

Holy Week – Ouro Preto, Minas Gerais

The most traditional Holy Week processional is held on Easter Sunday, symbolizing the resurrection of Christ, through children dressed as angels.

Semana Santa – Tiradentes, Minas Gerais
Procissão de Páscoa saindo da Igreja Matriz.

Holy Week – Tiradentes, Minas Gerais
Easter processional leaving the Central Cathedral.

Semana Santa – Tiradentes, Minas Gerais

Como tradição, montam-se tapetes coloridos que abrem caminhos para as procissões acompanhadas por centenas de fiéis.

Holy Week – Tiradentes, Minas Gerais

Traditionally, colorful rugs are laid down, along the way of the processionals, which are accompanied by hundreds of the faithful.

Semana Santa – Mariana, Minas Gerais
Procissão das Almas Penadas, realizada na
Sexta-Feira Santa.

Holy Week – Mariana, Minas Gerais
Tormented Souls processional, held on Good Friday.

Procissão do Fogaréu – Goiás Velho, Goiás

Homens encapuzados carregam tochas representando os soldados marchando à procura de Cristo. A multidão os acompanha à luz de velas, anunciando o início da procissão pelas ruas.

Torch Processional – Goiás Velho, Goiás

Hooded men carry torches, representing the soldiers marching in search of Christ. The crowd accompanies the procession by candle light, announcing the beginning of the procession along the streets.

Festa de Nossa Senhora da Boa Morte – Cachoeira, Bahia

A Irmandade da Boa Morte é uma confraria católica de mulheres negras e mestiças, que descendem e representam a ancestralidade dos povos africanos escravizados, no Recôncavo Baiano.

Our Lady of the Good Death Festivities – Cachoeira, Bahia

The Sisterhood of the Good Death is a Catholic society of negro and mestizo women descendants representing the African slave ancestors in the Recôncavo of Bahia.

Festa de Nossa Senhora da Boa Morte – Cachoeira, Bahia

Composta somente por mulheres, a Irmandade executa o cortejo, que representa o falecimento de Nossa Senhora.

Our Lady of the Good Death Festivities – Cachoeira, Bahia

This strictly women's group carries out the retinue, which represents the death of Our Lady.

Festa de Nossa
Senhora da Boa
Morte – Cachoeira,
Bahia

*Our Lady of the
Good Death
Festivities –
Cachoeira, Bahia*

Festa de Nossa Senhora Aparecida – Aparecida, São Paulo

Considerada a Padroeira do Brasil. No dia 12 de outubro (feriado nacional), milhares de fiéis prestam suas homenagens à Santa.

Our Lady Aparecida Festivities – Aparecida, São Paulo

Thousands of the devout pay homage to the Patron Saint of Brazil on October 12 (a national holiday).

Festa de Nossa Senhora Aparecida – Aparecida, São Paulo

As romarias para a festa da padroeira do Brasil atraem fiéis de todo o País. Na capela das velas são depositados pedidos e agradecimentos.

Our Lady Aparecida Festivities – Aparecida, São Paulo

The pilgrimages to the festival for the patron saint of Brazil attract the devout from all over the country. In the candle chapel, vows are made and thanks are given.

Festa de Nossa Senhora Aparecida – Aparecida, São Paulo

"Santos de casa que fazeis milagres que nós veneramos, imagem da nossa fé confusa, entendeis os pecados do Brasil e sede conosco em nossas festas."   (Trecho de uma prece popular.)

Our Lady Aparecida Festivities – Aparecida, São Paulo

"Oh, Saints who do the miracles that we worship, image of our confused faith, understand the sins of Brazil and be with us in our festivities."   (*Piece of a popular prayer.*)

Festa do Divino – Alcântara, Maranhão

Cinqüenta dias após a Páscoa, fiéis empunham bandeiras e estandartes, percorrendo cidades do interior em procissões e ladainhas, acompanhados de grupos de Congadas e Moçambiques que se reúnem nas praças.

Festival of the Divine – Alcântara, Maranhão

Fifty days after Easter, the faithful wave flags and standards, along the streets of interior cities in processionals and prayers, accompanied by Congada and Moçambique groups that meet on the town squares.

Festa do Divino – Pirenópolis, Goiás

Crianças participam da festa vestidas com as cores do Divino, simbolizando o Espírito Santo em vermelho e branco.

Festival of the Divine – Pirenópolis, Goiás

Children participate in the festivities dressed in the colors of the Divine, symbolizing the Holy Spirit in red and white.

**Festa do Divino –
Pirenópolis, Goiás**

A dança-do-pau-de-fita
é uma reminiscência
dos rituais em
homenagem aos
Deuses da fertilidade,
quando as pessoas
enfeitavam as árvores
em agradecimento aos
seus frutos.

**Festival of the Divine
– Pirenópolis, Goiás**

*Dancing around the
ribbon-draped pole is a
remnant of the rituals in
honor of the fertility gods,
when people decorated
the trees in gratitude for
their fruits.*

Festa do Divino – Pirenópolis, Goiás

Participantes da Festa do Divino acompanhados de violas, bumbos, triângulos, reco-recos e sanfonas.

Festival of the Divine – Pirenópolis, Goiás

Participants in the Festival of the Divine accompanied by guitars, drums, triangles, fiddles, and accordions.

**Círio de Nazaré –
Belém, Pará**

Fiéis carregam
crucifixos e artefatos
da cultura cristã para
homenagear a Santa
Padroeira do Estado do
Pará.

**Círio de Nazaré –
*Belém, Pará***

*The faithful carry
crucifixes and artifacts
of the Christian culture to
honor the patron saint of
the State of Pará.*

**Festa do Divino –
Pirenópolis, Goiás**

Doce típico da Festa do Divino, os "alfenins" são distribuídos aos fiéis durante as procissões que acompanham o andor com a imagem do Divino Espírito Santo.

*Festival of the Divine –
Pirenópolis, Goiás*

Typical sweets of the Festival of the Divine, called "alfenins" are distributed to the faithful during the processionals that accompany the litter with the image of the Divine Holy Spirit.

Festa do Divino –
Alcântara, Maranhão

As comemorações do Divino
Espírito Santo recebem várias
denominações: Império do
Divino, Festa do Divino, Festa
do Coração, Folia do Divino.
Apesar de a comemoração ter
origem européia, em Alcântara
é forte a participação de
negros, marcada pelo toque
das caixeiras.

Festival of the Divine –
Alcântara, Maranhão

*The commemorations of the
Divine Holy Spirit come with
several names: Empire of the
Divine, Festival of the Divine,
Festival of the Heart, Revelry of
the Divine. Although the
commemorations have European
origins, in Alcântara there is a
heavy participation of negroes,
marked by the beat of the
caixeiras.*

Festa do Divino – Alcântara, Maranhão

A festa tem seu ápice durante o Domingo de Pentecostes (cinqüenta dias após a Páscoa), mas os rituais começam na quarta-feira da semana anterior, quando é fixado o mastro. Na Quinta da Ascensão, caixeiras fazem alvorada às 4 horas da manhã, em frente ao mastro, e pela manhã, seguem até a casa do Imperador.

Festival of the Divine – Alcântara, Maranhão

The festivities reach their peak on Pentecost Sunday (fifty days after Easter), but the rituals begin on the previous Wednesday, when the pole is raised. On Maundy Thursday, the caixeiras meet at four o'clock in the morning, in front of the pole, and go to the home of the Emperor.

**Festival do Folclore –
Olímpia, São Paulo**

Figura presente em várias
manifestações folclóricas, o
Rei representa a coroa
portuguesa.

*Folk Festival –
Olímpia, São Paulo*

*The figure of the King is
present in a number of folk
manifestations, representing the
Portuguese crown.*

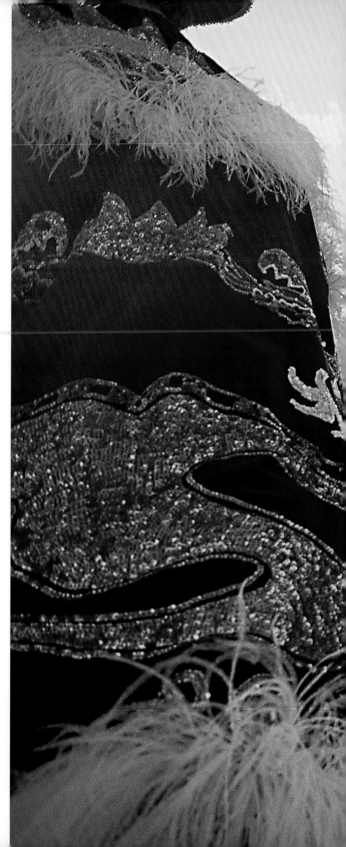

Festa do Divino, Cavalhadas – Pirenópolis, Goiás

As cavalhadas têm início no primeiro domingo da Festa do Divino e representam as lutas de reconquista para expulsar os mouros da Península Ibérica. Desde 1826, é assim em Pirenópolis.

Festival of the Divine, Jousting – Pirenópolis, Goiás

The jousting begins on the first Sunday of the Festival of the Divine and represents the struggles to oust the Moors from the Iberian Peninsula. This has been going on in Pirenópolis since 1826.

Cavalhadas – Pirenópolis, Goiás

Os cavaleiros combatentes andam em cavalos enfeitados com muito veludo, cetim e armas medievais.
Os mouros vestem-se de vermelho e os cristãos de azul.

Jousting – Pirenópolis, Goiás

*The knights ride horses decorated with velvet, satin and medieval weapons. The Moors wear red and the
Christians wear blue.*

Cavalhadas – Pirenópolis, Goiás

Após três dias de apresentações, os cavaleiros mouros e cristãos confraternizam-se diante da Igreja do Bonfim, para agradecer que tudo tenha corrido bem durante os festejos.

Jousting – Pirenópolis, Goiás

After three days of shows, the Moors and Christian knights commemorate in front of the Bonfim church, in gratitude that everything went well during the festivities.

Cavalhadas – Pirenópolis, Goiás

Conhecidos por Curucucus ou simplesmente Mascarados, estes personagens usam tradicionais máscaras de boi, feitas de papel machê, nas cavalhadas de Pirenópolis.

Jousting – Pirenópolis, Goiás

Known as Curucucus, or merely the Masked Ones, these characters wear traditional ox masks made of papier-mâché during the jousting in Pirenópolis.

Festas Juninas – Campina Grande, Paraíba

O mês de junho chega com as tradicionais festas juninas. As cidades enfeitam-se para celebrar as mais originais manifestações populares pelo interior do Brasil, em homenagem aos Santos Antônio, João e Pedro.

June Festivities – Campina Grande, Paraíba

The month of June arrives with the traditional June Festivities. The cities decorate to celebrate very original folk manifestations throughout the interior of Brazil, in honor of Saints Anthony, John and Peter.

Festas Juninas – Caruaru, Pernambuco

As comemorações como se conhecem hoje, com fogueiras, balões e fogos, tinham por finalidade desejar uma boa colheita, daí as fantasias de caipiras e sinhazinhas da roça.

June Festivities – Caruaru, Pernambuco

The commemorations, as they are known today, with bonfires, balloons and fireworks, so the main costumes are of country bumpkins.

Boi de máscara – São Caetano de Odivelas, Pará

A tradicional figura dos "cabeçudos" do Boi Tinga encanta as crianças durante os festejos juninos.

Masked Ox – São Caetano de Odivelas, Pará

The traditional figure of the "big heads" of the Ox Tinga celebrations enchant the children during the June festivities.

Festas Juninas – Caruaru, Pernambuco

Os batalhões de bacamarteiros remontam à Guerra do Paraguai. Os tiros celebram a volta ao lar. As coreografias lembram quadrilhas e apresentam-se durante as festas em louvor a São João.

June Festivities – Caruaru, Pernambuco

The battalions of blunderbusses hark back to the Paraguay War. The shots celebrate the return home. The choreographies are a type of square dance and are presented during the festivities in praise of St. John.

Procissão a São Pedro – João Pessoa, Paraíba

No dia 29 de junho, encerram-se os festejos juninos com a procissão a São Pedro, que era pescador de profissão e se tornou padroeiro dos homens do mar.

St. Peter's Processional – João Pessoa, Paraíba

On June 29th, the June festivities end with the St. Peter processional, who was a fisherman by trade and became the patron saint of the men of the sea.

Festas Juninas – Campina Grande, Paraíba

Pedro foi o primeiro Papa da Igreja Católica e a ele foram entregues as chaves do céu. Oficialmente, foi ele quem abriu as portas da Igreja ao primeiro pagão.

June Festivities – Campina Grande, Paraíba

Peter was the first Pope of the Catholic Church and he is given the keys of Heaven. Officially, he was the one who opened the doors of the Church to the first pagan.

Bumba-meu-boi – São Luís, Maranhão
O Bumba-meu-boi tem sua história contada em uma festa que agrupa o enredo criado pelos brancos, ritmos dos tambores dos negros e mistura de danças indígenas.

Bumba-meu-boi – *São Luís, Maranhão*
The story of the Bumba-meu-boi celebrations is told in a celebration that takes in a plot created by whites, drum rhythms of the negroes, and a blend of indigenous dances.

Bumba-meu-boi – São Luís, Maranhão
Tradição mantida desde o século XVIII, o Bumba-meu-boi arrasta brincantes para a capital do Maranhão durante todo mês de junho.

Bumba-meu-boi – *São Luís, Maranhão*

The tradition of the Bumba-meu-boi has been maintained since the 18th century and leads draws to the capital of the State of Maranhão during the entire month of June.

Bumba-meu-boi – São Luís, Maranhão

O enredo narra a história de Nego Chico, que rouba um boi para satisfazer o desejo de sua mulher grávida. Ele mata o boi e em seguida os pajés o ressuscitam, começando então a festa.

Bumba-meu-boi – *São Luís, Maranhão*

The plot tells the story of Black Chico, who steals an ox to meet the cravings of his pregnant wife. He kills the ox and then the witch doctors bring it back to life, starting the festivities.

**Bumba-meu-boi –
São Luís, Maranhão**

Cazumbá – personagem
mascarado presente em
alguns grupos de Bumba-
meu-boi. Faz parte da
brincadeira do Cazumbá
caçoar e até botar medo
nas crianças, com suas
máscaras.

**Bumba-meu-boi –
*São Luís, Maranhão***

Cazumbá – *a masked
character present in some of
the Bumba-meu-boi
groups. It is part of
Cazumbá's job to tease and
even scare the children with
his masks.*

Bumba-meu-boi – São Luís, Maranhão

O auto, de influência africana, indígena e portuguesa, tem origem nas festas do Boi de Canastra, em Portugal.

Bumba-meu-boi – *São Luís, Maranhão*

The short play, under African, indigenous and Portuguese influence, originated in the Boi de Canastra celebrations, in Portugal.

Bumba-meu-boi – São Luís, Maranhão

A riqueza de detalhes e acabamentos das fantasias faz-se presente no Bumba-meu-boi, com chapéus cobertos por penduricalhos e fitas coloridas.

Bumba-meu-boi – *São Luís, Maranhão*

The wealth of detail and accessories of the costumes is seen in Bumba-meu-boi in the hats covered with trinkets and colorful ribbons.

Carnaval – Nazaré da Mata, Pernambuco

O mesmo é observado nas fantasias do Maracatu rural, em Pernambuco. Ambas as festas possuem o mesmo personagem, o caboclo de pena, com caracterizações diferentes nas vestimentas, mas com o mesmo tipo de ornamento nos chapéus.

Carnaval – *Nazaré da Mata, Pernambuco*

The same is seen in the costumes of the rural Maracatu festivities, in the State of Pernambuco. Both of the celebrations have the same figure, the half-breed, wearing different clothing, but having the same type of ornament on the hats.

**Festival do Folclore –
Olímpia, São Paulo**

Palhaço ou Mateus – figura
típica das festas de Folia de
Reis ou Reisados.

**Folk Festival –
Olímpia, São Paulo**

*Clown or Matthew – a typical
figure of the Epiphany Revelry
or Reisado festivities.*

Festival do Folclore – Olímpia, São Paulo

O Reisado tanto pode ser um cortejo de pedintes cantando versos religiosos como autos sacros contando a história de Cristo.

Folk Festival – Olímpia, São Paulo

The Reisado can be either a retinue of beggars signing religious verses or sacred plays telling the story of Christ.

Folia de Reis – Maceió, Alagoas

O Auto dos Guerreiros ou Guerreiro é um folguedo natalino de caráter dramático religioso, que se comemora entre os dias 24 de dezembro e 6 de janeiro, anunciando de porta em porta a chegada do Messias e homenageando os três Reis Magos.

Epiphany Revelry – Maceió, Alagoas

The Auto dos Guerreiros or Guerreiro is a dramatized religious Christmas revelry that is commemorated from December 24th to January 6th, going door-to-door to announce the arrival of the Messiah and honoring the three Wise men.

Folia de Reis – Maceió, Alagoas

É a mistura de personagens de reisados, caboclinhos, pastoril, presépios e Bumba-meu-boi, representando a síntese da cultura de Alagoas. Entre seus personagens, encontramos Rei, Rainha, Mestre, Mateus, Lira, Borboleta, Sereia, dentre outros.

Epiphany Revelry – Maceió, Alagoas

This is a blend of characters from reisados, caboclinhos, indoor plays, manger scenes, and Bumba-meu-boi, representing a synthesis of the culture of the State of Alagoas. Some of the characters are the King, Queen, Master, Matthew, Lyre, Butterfly, Mermaid, and others.

Grupo de Reisado – Zabelê, Paraíba

Reisado Group – Zabelê, Paraíba

Grupo de Reisado – Zabelê, Paraíba

Os reisados são grupos que festejam o Natal e Reis, usam chapéus coloridos de flores e fitas, ornados com espelhinhos que devolvem maus-olhados.

Reisado Group – Zabelê, Paraíba

The reisados are groups that commemorate Christmas and Epiphany, wearing hats colored by flowers and ribbons, decorated with small mirrors that return the "evil eye".

Instrumentos usados durante a Festa de São Benedito (ou festa de Nossa Senhora do Rosário) – Itaúna, Minas Gerais

Instruments used during the St. Benedict Festivities (or the celebration of Our Lady of the Rosary) – Itaúna, Minas Gerais

Festa de São Benedito – Aparecida, São Paulo

Sob domínio e influência dos portugueses, os negros africanos começaram a cultuar Nossa Senhora do Rosário, chamada também de Nossa Senhora dos Homens Pretos. Essa devoção mais tarde foi associada a São Benedito, formada por devotos do Santo Negro.

St. Benedict Festivities – Aparecida, São Paulo

Under Portuguese domination and influence, African negroes began to worship Our Lady of the Rosary, who was also called Our Lady of Black Men. This devotion was later associated with St. Benedict, formed by devotees to the Negro Saint.

Festa de São Benedito – Itaúna, Minas Gerais

Os estandartes e bandeiras das Congadas e Moçambiques fazem referência ao Santo.

St. Benedict Festivities – Itaúna, Minas Gerais

The standards and flags of the Congadas and Moçambiques make reference to the Saint.

Festa de São Benedito – Minas Novas, Minas Gerais

Fundo musical da Festa de São Benedito, com instrumentos de origem africana.

St. Benedict Festivities – Minas Novas, Minas Gerais

Background music for the St. Benedict Festivities, with instruments of African origin.

Festa de Nossa Senhora da Boa Morte – Cachoeira, Bahia

Fundada em 1820, a Irmandade da Boa Morte tinha como metas principais comprar a carta de alforria para a libertação de escravos e preservar os rituais das religiões africanas.

Our Lady of the Good Death Festivities – Cachoeira, Bahia

Founded in 1820, the main objectives of the Sisterhood of the Good Death were to buy the freedom document to free slaves and to preserve the rituals of the African religions.

Festa da Nossa Senhora da Boa Morte – Cachoeira, Bahia

Durante 68 anos, entre a organização da Irmandade (1820) e a decretação da Lei Áurea (1888), as irmãs faziam um ritual secreto sem as cerimônias católicas, apenas rezavam suas novenas e faziam o samba-de-roda.

Our Lady of the Good Death Festivities – Cachoeira, Bahia

For 68 years, from the time the Sisterhood was organized (1820) until the Golden Law Decree (1888), the sisters performed a secret ritual, without the Catholic ceremonies. They merely said their novenas and danced samba in a circle.

Festa de Nossa Senhora do Rosário – Itaúna, Minas Gerais

Os santos são homenageados especialmente na Dança do Congo ou Congada, que une tradições e ritmos africanos com crenças e cantos cristãos.

Our Lady of the Rosary Festivities – Itaúna, Minas Gerais

The saints are especially honored with the Congo or Congada Dances that unite African traditions and beats with Christian believes and songs.

Festa de Nossa Senhora do
Rosário dos Homens
Pretos, Irmandade Nossa
Senhora do Rosário –
Minas Novas, Minas
Gerais

*Our Lady of the Negros'
Rosary Festivities,
Sisterhood of Our Lady of
the Rosary – Minas Novas,
Minas Gerais*

Festa de Nossa Senhora do
Rosário – Itaúna, Minas
Gerais

*Our Lady of the Rosary
Festivities – Itaúna, Minas
Gerais*

Festa de Nossa Senhora do Rosário – Itaúna, Minas Gerais
Our Lady of the Rosary Festivities – Itaúna, Minas Gerais

Festa de São Jorge – Rio de Janeiro, Rio de Janeiro
Louvor em homenagem ao guerreiro que superou muitos desafios, incentivando os fiéis a vencerem suas dificuldades.

St. George Festivities – Rio de Janeiro, Rio de Janeiro
In praise of the warrior who overcame many challenges, encouraging the faithful to overcome their own difficulties.

Festa de São Jorge – Rio de Janeiro, Rio de Janeiro

Conhecida por todos, a imagem do cavaleiro que luta contra o dragão, difundida na Idade Média, mostra a origem da lenda criada sobre este mártir e contada de várias maneiras em suas muitas paixões.

St. George Festivities – Rio de Janeiro, Rio de Janeiro

The image of the knight who fights the dragon is familiar to everyone. It came out in the Middle Ages, when it was created for this martyr and the story was told in several different ways about his many sufferings.

**Festa de São Jorge –
Rio de Janeiro,
Rio de Janeiro**

"Glorioso São Jorge!
O malvado dragão que
vós pisastes tenta
erguer-se sempre de
novo. É o dragão do
paganismo moderno,
que se arremete com
furor contra a
humanidade.
Imploramos a vossa
proteção..."

*St. George Festivities –
Rio de Janeiro,
Rio de Janeiro*

*"Glorious St. George!
The evil dragon that you
slew is always trying to
come back. It is the
dragon of modern
paganism, that throws
itself madly against
humanity. We implore
your protection…"*

Círio de Nazaré – Belém, Pará

A procissão percorre o caminho entre a Igreja da Sé e a Basílica de Nossa Senhora de Nazaré desde 1793. Os fiéis lotam as ruas de Belém para pagar suas promessas.

Círio de Nazaré – Belém, Pará

The processional has covered the distance between the main Cathedral and the Basilica of Our Lady of Nazareth, since 1793. The faithful fill the streets of Belém to pay their vows.

Círio de Nazaré – Belém, Pará

Ícones do Círio, a Berlinda e a Imagem de Nossa Senhora de Nazaré. Todo ano um manto novo é confeccionado para a Santa, especialmente para as comemorações.

Círio de Nazaré – Belém, Pará

Icons of Círio, Berlinda and the image of Our Lady of Nazareth. Every year a new cloak is made for the saint, especially for these commemorations.

Círio de Nazaré – Belém, Pará

Os brinquedos de Miriti, comercializados durante o Círio de Nazaré, são produzidos a partir de uma palmeira típica da região amazônica e introduzidos como ex-votos levados por pescadores e demais fiéis para agradecerem às suas graças alcançadas.

Círio de Nazaré – Belém, Pará

Miriti toys – sold during the Círio de Nazaré – are produced from a typical regional Amazon region palm tree and presented as votive offerings carried by fishermen and other of the faithful in gratitude for blessings received.

Círio de Nazaré – Belém, Pará

A multidão aglomera-se ao longo da corda, um dos ícones mais simbólicos do Círio de Nazaré. A corda surgiu em 1855, para tirar a berlinda de um grande atoleiro, tornando-se o maior instrumento de fé para pagar as promessas.

Círio de Nazaré – Belém, Pará

The crowd gathers along the rope, which is one of the most symbolic icons of the Círio de Nazaré. The rope appeared in 1855, to pull Berlinda from a large mud hole, and became the biggest sign of faith, when paying vows.

Círio de Nazaré – Belém, Pará

Mesmo com o calor intenso, os fiéis permanecem firmes à corda, num trajeto que leva cerca de dez horas para ser realizado, em razão do grande número de fiéis – cerca de dois milhões de pessoas.

Círio de Nazaré – Belém, Pará

Even with the intense heat, the faithful hold firmly to the rope, along a route that takes about ten hours to complete, due to the large number of people – around two million.

Círio de Nazaré – Belém, Pará

Na véspera do Círio, ocorre a procissão fluvial, com a imagem da santa percorrendo o trajeto do Trapiche de Icoaraci ao cais do porto de Belém, pelas águas do rio Guajará.

Círio de Nazaré – Belém, Pará

On the eve of the Círio, the river processional is held, with the image of the saint being carried from the Icoaraci Warehouse to the docks at the Port of Belém, via the waters of the Guajará River.

Festa de Iemanjá – Salvador, Bahia

Dia de reverenciar a personagem mais popular do candomblé. Para os católicos, é dia de Nossa Senhora das Candeias. Diversos credos e classes sociais chegam à Praia do Rio Vermelho, desde o começo da manhã.

Iemanjá Festivities – Salvador, Bahia

On this day, the most popular candomblé figure is revered. For Catholics, it is the day of Our Lady of the Candles. Several creeds and social classes come to the banks of the Vermelho River, starting early in the morning.

Festa de Iemanjá – Salvador, Bahia

Fiéis trazem consigo oferendas – flores, perfumes de alfazema e sabonetes –, que são levadas para o alto-mar, em homenagem à Santa.

Iemanjá Festivities – Salvador, Bahia

The faithful bring their offerings – flowers, lavender perfumes and bars of soap – that are carried out to sea, in honor of the saint.

**Festa de Iemanjá –
Salvador, Bahia**

As oferendas são
entregues em meio a
toques de atabaques,
cantos e rituais
do candomblé.

**Iemanjá Festivities –
Salvador, Bahia**

*The offerings are placed to
the sound of drumbeats,
songs and
candomblé rituals.*

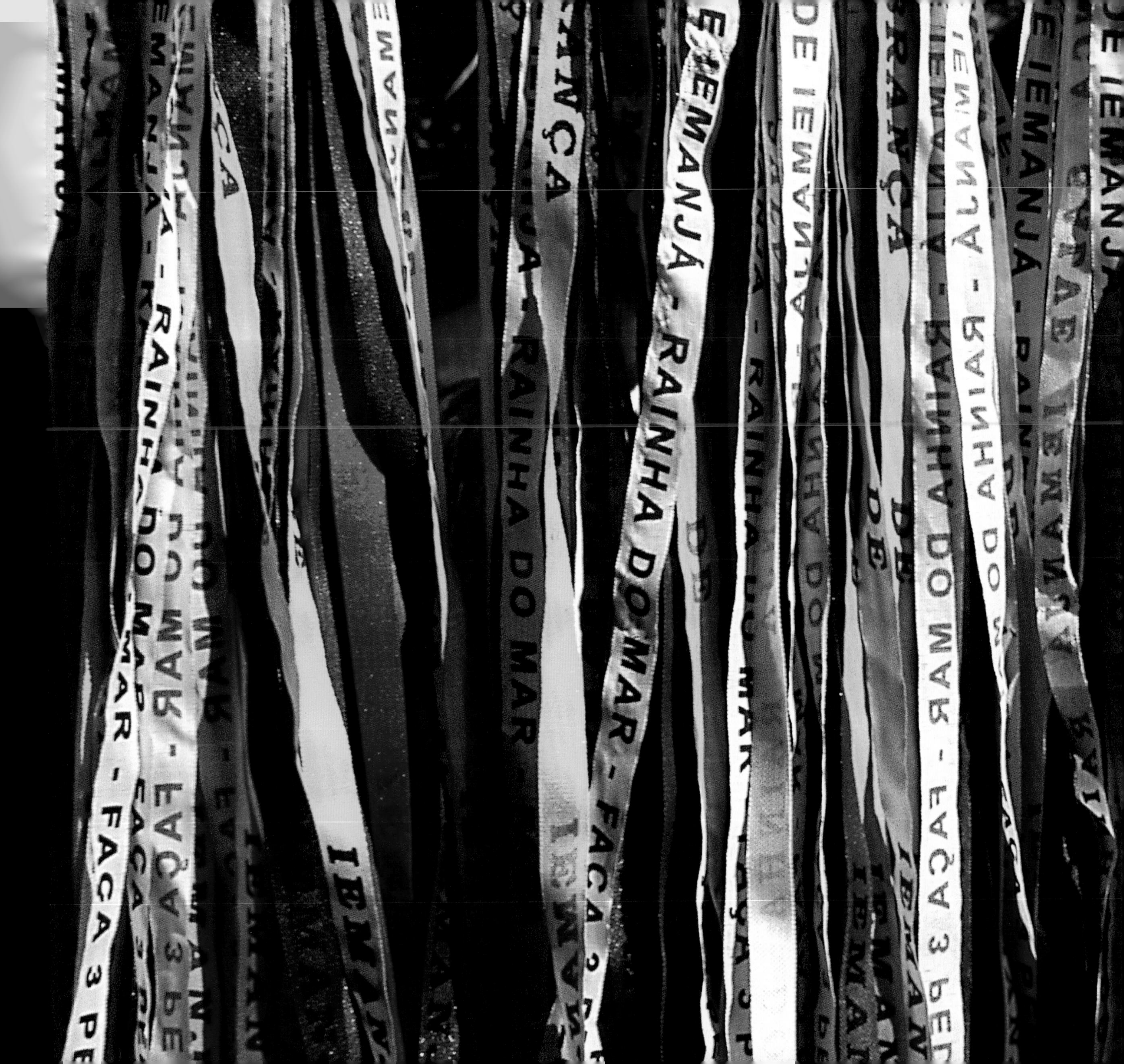
RAINHA DO MAR

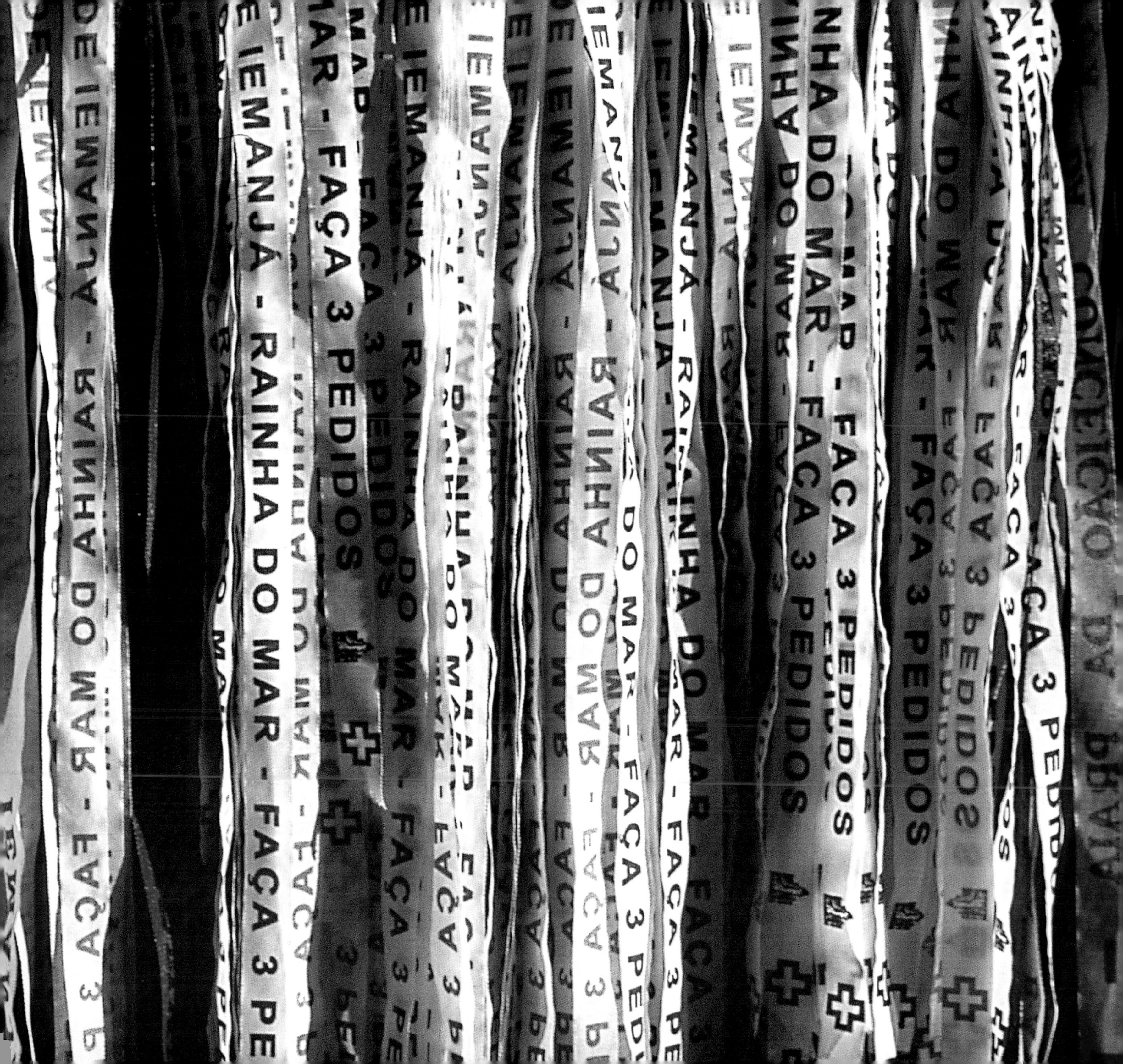
IEMANJÁ - RAINHA DO MAR - FAÇA 3 PEDIDOS

Cerimônia do Kuarup – Xingu, Mato Grosso

Os rituais indígenas são acompanhados de festas-cerimônias, que congregam toda a comunidade em torno dos preparativos. Revivem a arte das danças com cantos e vestimentas típicas.

Kuarup Ceremony – Xingu, Mato Grosso

The Indian rituals are accompanied by ceremonial festivities, that bring the entire community into the preparations. They relive the art of the dances, with songs and typical clothing.

Cerimônia do Kuarup – Xingu, Mato Grosso

As tribos relacionam-se pacificamente entre si. Na cerimônia do Kuarup, os índios reverenciam os mortos, simbolizados por troncos de madeira, que após o culto são lançados à água.

Kuarup Ceremony – Xingu, Mato Grosso

The tribes live in peace with each other. In the Kuarup ceremony, the Indians worship the dead, symbolized by logs that are thrown into the water after the rites are finished.

Pastorinhos do
Menino Jesus –
Festival do Folclore
– Olímpia,
São Paulo

*Short plays of the
child Jesus – Folk
Festival – Olímpia,
São Paulo*

Dança do Congo – Oieras, Piauí

Outra antiga dança típica dos negros. Detalhe de chocalho
utilizado na Dança do Congo, realizada apenas por homens.

Congo Dance – Oieras, Piauí

*Another old typical negro dance. A close up of a rattle used during
the Congo Dance, which is performed only by men.*

Congada – Festival do Folclore – Olímpia, São Paulo

Detalhes de vestimentas e instrumentos utilizados durante apresentações das
Congadas em homenagem a São Benedito.

Congada – Folk Festival – Olímpia, São Paulo

*Close-ups of the clothing and instruments used during the performance of the Congadas in
honor of St. Benedict.*

Carimbó – Belém, Pará

Carimbó é uma típica dança do Norte do Brasil, de origem indígena e misturas africanas no gingado e nos instrumentos. Há um tambor cavado em um tronco que marca o ritmo do bailado.

Carimbó – Belém, Pará

Carimbó is a typical dance in northern Brazil, of indigenous origin but mixed with African steps and instruments. There is a drum carved out of a log sets the beat of the dance.

Festival de Parintins – Parintins, Amazonas

A cultura do Bumba-meu-boi foi trazida ao Norte por migrantes nordestinos, tornando-se o Boi-bumbá amazonense. O espetáculo é apresentado em uma espécie de arena, o bumbódromo.

Parintins Festival – Parintins, Amazonas

The Bumba-meu-boi culture was brought to the North by Northeastern migrants and became the Amazon Boi-bumbá. The show is presented in a type of arena, the "bumbadrome".

Festival de Parintins – Parintins, Amazonas

Os participantes da festa, cobertos por luxuosos adereços indígenas e movidos pela rivalidade dos bois Caprichoso e Garantido, encenam a história de um boi de estimação de um grande fazendeiro na época do Brasil Colonial. As cores azul e branco do Boi Caprichoso representam o céu. O vermelho, que caracteriza o Boi Garantido, significa sangue e vida.

Parintins Festival – Parintins, Amazonas

Covered with luxurious indigenous accessories and moved by the rivalry between the Caprichoso and Garantido oxen, the participants in the festival play out the story of a pet ox of a big farmer in colonial Brazil. The white and blue colors of the Caprichoso Ox represent the sky. The red, of the Garantido Ox, stand for blood and life.

Dança dos Parafusos – Lagarto, Sergipe

A encenação remete ao tempo dos escravos, quando se vestiam de branco e rodopiavam simulando fantasmas para escapar das fazendas.

Spinning Dance – Lagarto, Sergipe

This enactment dates from the times of slavery, when white was worn and they spun around, simulating ghosts, in order to escape from the plantations.

Traieras, grupo parafolclórico – Lagarto, Sergipe

Traieras, *a para-folkloric group – Lagarto, Sergipe*

Festas Gaúchas – Porto Alegre, Rio Grande do Sul

Trazidas por imigrantes europeus no final do século XIX, as
danças gaúchas seguem suas tradições com costumes e
vestimentas típicos de seus povos. Suas maiores características
são o romantismo e a elegância. As figuras são o peão gaúcho
e sua prenda.

Gaucho Festivities – Porto Alegre, Rio Grande do Sul

*Brought by European immigrants at the end of the 19ᵗʰ century, the
gaucho dances follow their traditions with customs and typical clothing
of their respective people. Their biggest feature is romanticism and
elegance. The figures are the gaucho peon and his gift.*

Danças do Sul – Blumenau, Santa Catarina

Com uma história de lutas e uma colonização diferenciada do resto do País, o Sul incorpora a modernidade dos aspectos atuais à tradição de sua cultura imigrada da Europa, com aspectos únicos, integrados às cores e ao clima do Brasil.

Southern Dances – Blumenau, Santa Catarina

With a history of struggles and a colonization that differs from that of the rest of the country, the South incorporates contemporary elements into the tradition of its culture which immigrated from Europe, with unique aspects integrated with the colors and the climate of Brazil.

Congo de Nossa Senhora do Rosário – Uberlândia, Minas Gerais

Ritual que remonta à coroação do Rei Congo e da Rainha Ginga de Angola. Os participantes da festa munidos de instrumentos e roupas bastante coloridas dançam e cantam em homenagem aos santos negros.

Congo of Our Lady of the Rosary – Uberlândia, Minas Gerais

This ritual dates from the coronation of the King Congo and Queen Ginga of Angola. The participants in the festivities have very colorful instruments and clothing and dance and sing in honor of the negro saints.

Boi-de-mamão – Florianópolis, Santa Catarina

Apresentação festiva trazida pelos imigrantes açorianos que se estabeleceram em Santa Catarina e encontraram na festa do boi uma maneira de manter as suas tradições.

Boi-de-mamão – *Florianópolis, Santa Catarina*

This festive show was brought by immigrants from the Azores who settled in the State of Santa Catarina and found the ox festivities to be a way of maintaining their traditions.

Fotógrafos
Photographers

Gabriel Boieras

Gabriel Boieras, paulistano, nascido em 1977, formou-se em publicidade e propaganda pela Escola Superior de Propaganda e Marketing de São Paulo. Dedica-se profissionalmente à fotografia desde 1999. Em 2003, participou do XX Curso Abril de Jornalismo em Revista e neste mesmo ano abriu a produtora fotográfica Individual de 2 juntamente com a fotógrafa Luciana Cattani, onde também realizam trabalhos comerciais para agências de publicidade, setor corporativo, área editorial e eventos sociais. Desenvolve o projeto Brasil em Festas, com registros de diversas manifestações populares brasileiras, organizados em um grande acervo sobre o tema, que pode ser encontrado no banco de imagens www.brasilemfestas.com.br. Participou de diversas exposições em galerias e centros culturais no Brasil, além de livro referente ao tema.

Gabriel Boieras, from São Paulo, born in 1977, has a degree in publicity and advertising from the Escola Superior de Propaganda e Marketing of São Paulo. He has been a professional photographer since 1999. In 2003, he participated in the 20 Abril Magazine Journalism Course and that same year he founded the Individual de 2 photographic production company along with photographer Luciana Cattani. They also do commercial work for advertising agencies and the corporate sector, as well as for the editorial area and social events. He is developing the Brasil em Festas (Brazil's Festivities) project, by recording a variety of Brazilian folk manifestations organized into a large collection on the subject, which can be found in the image bank at the site www.brasilemfestas.com.br. He has participated in several exhibits in galleries and cultural centers around Brazil and has a book on the subject.

Luciana Cattani

Luciana Cattani, paulistana, nascida em 1970, formou-se em publicidade e artes gráficas pelo Istituto Superiore di Comunicazione em Como, Itália, e completou seus estudos em fotografia participando de vários cursos e *workshops* entre São Paulo e Milão, onde também já expôs seus trabalhos.

Como fotógrafa e pesquisadora de arte da cultura brasileira, começou a percorrer as regiões do território brasileiro e desde 2003, juntamente com o fotógrafo Gabriel Boieras, montou o projeto *Brasil em Festas*, para divulgar a diversidade da cultura brasileira por meio de seus registros. O encontro com essas raízes foi o casamento perfeito pra mostrar ritos e costumes, rendendo várias publicações em revistas especializadas, exposições em galerias e centros culturais no Brasil e no exterior, além de dois livros sobre o tema.

Luciana Cattani, from São Paulo, born in 1970, has a degree in publicity and graphic arts from the Istituto Superiore di Comunicazione in Como, Italy, and complemented her photographic studies by participating in several courses and workshops in São Paulo and Milan, where she has also exhibited her work.

As a photographer and researcher of Brazilian cultural art, she began to visit the regions of Brazil and, since 2003, together with photographer Gabriel Boieras, she set up the Brasil em Festas *project, in order to give exposure to Brazil's cultural diversity through her pictures. The encounter with these roots was the perfect arrangement for showing rituals and customs, resulting in several publications in trade magazines, exhibits in galleries and cultural centers in Brazil and abroad, as well as two books on the subject.*

Marco Antônio Sá

Marco Antônio Sá nasceu no Rio de Janeiro, em 3 de dezembro de 1954.

A fotografia é parte de sua vida desde os 15 anos de idade, como um *hobby* que, com o tempo, acabou virando profissão.

É formado em engenharia mecânica e pós-graduado em administração de marketing. Deixou definitivamente a engenharia em 1983 e desde então é apenas fotógrafo, profissão que exercia paralelamente desde 1988.

Seus primeiros trabalhos, publicados nessa época (1988), foram sobre o artesanato de São Paulo. As festas populares e religiosas vieram logo depois, em conseqüência disso.

No site do fotógrafo, www.marcoantoniosa.com.br, há um pouco mais sobre sua história.

Marco Antonio Sá was born in Rio de Janeiro, on December 3rd, 1954.

Photography has been a part of his life ever since he was 15 years old, as a hobby which, over time, became a profession.

He has a degree in Mechanical Engineering and a graduate degree in Marketing Administration. In 1983, he left engineering for good and has been only a photographer ever since, which has been his parallel profession since 1988.

His first published work from that time (1988) was on the arts and crafts of São Paulo. Folk and religious festivities came soon after, as a result.

The photographer's site, www.marcoantoniosa.com.br, tells a little more of his story.

Fotografias:

Gabriel Boieras
páginas: 1ª guarda, 12/13, 16, 17 a, 17 b, 26, 33, 35, 41, 42, 48, 59, 61,
62, 63, 64, 65, 76, 91, 94, 97, 98, 104, 105 109, 110, 111.

Luciana Cattani
páginas: 14, 15, 18, 19, 20, 21, 22, 28/29, 30/31, 32, 34 a, 34 b,
36 a, 36 b, 37, 43, 52/53, 60, 74, 75, 77, 78, 79, 81, 90, 92, 93, 95,
96, 99, 100 a, 100 b, 101, 102/103, 106 a, 106 b, 107 a, 108,
112 a, 112 b, 113, 114 a, 114 b, 115, 116, 117.

Marco Antônio Sá
páginas: 23, 24, 25, 27, 38, 39, 40, 44, 45, 46, 47, 49 a, 49 b,
50, 51, 54/55, 56, 57, 58 a, 58 b, 66/67, 68, 69, 70, 71, 72, 73, 80,
82, 83, 84, 85, 86, 87, 88, 89, 107 b, 2ª guarda.

Impresso em São Paulo, SP, em novembro de 2006, nas oficinas da Pancrom,
em papel couché fosco 150 g/m². Composto em Goudy, corpo 12 pt.

Não encontrando este título nas livrarias,
solicite-o diretamente à editora.

Escrituras Editora e Distribuidora de Livros Ltda.
Rua Maestro Callia, 123 – Vila Mariana – 04012-100 – São Paulo – SP
Tel./fax: (11) 5082-4190 – http://www.escrituras.com.br
escrituras@escrituras.com.br (administrativo)
vendas@escrituras.com.br (vendas)
arte@escrituras.com.br (arte)